Het geheim van de stoere prinses

PSSST! Ken jij deze GEHEIM-boeken al?

Tamara Bos	*Het geheim van Anna's dagboek*
Chris Bos	*Het geheim van de struikrovers*
Marjet van Cleeff	*Het geheim onder het bed*
Haye van der Heyden	*Het geheim van de maffiamoeder*
	Het geheim van de ontvoering
Rindert Kromhout	*Het geheim van Zwartoog*
	Het geheim van de verdwenen muntjes
& Pleun Nijhof *	*Het geheim van de raadselbriefjes*
Yvonne Kroonenberg	*Het geheim van de boomhut*
Hans Kuyper	*Het geheim van het Kruitpaleis*
& Isa de Graaf *	*Het geheim van kamer 13*
Martine Letterie	*Het geheim van de roofridder*
	Het geheim van de riddertweeling
Selma Noort	*Het geheim van de snoepfabriek*
& Rosa Bosma *	*Het geheim van het spookhuis*
Helen Powel	*Het geheim van het boze oog*
Ruben Prins	*Het geheim van de dieventekens*
Els Ruiters	*Het geheim van de vleermuisjager*
Erna Sassen	*Het geheim van het zeehondenjong*
Anneke Scholtens & Marie-Line Grauwels *	*Het geheim van de circusdief*
Harmen van Straaten	*Het geheim van de smokkelbende*
Anna Woltz	*Het geheim van ons vuur*
& Roos van den Berg	*Het geheim van de stoere prinses*

* Pleun, Isa, Rosa, Marie-Line en Roos wonnen de GEHEIM-schrijfwedstrijd.
Heb jij een spannend idee voor een boek? Doe mee op **www.geheimvan.nl** of **www.leesleeuw.nl**

Anna Woltz &
Roos van den Berg

Het geheim van de stoere prinses

Met tekeningen van Saskia Halfmouw

AVI 8

Eerste druk 2007

Omslagillustratie: Saskia Halfmouw
Omslagontwerp: Rob Galema
Uitgeverij Leopold, Amsterdam / www.leopold.nl
ISBN 978 90 258 5122 4 / NUR 282

Inhoud

Het vliegtuig wacht op prinses Rosalie

'Prinses, het is tijd om op te staan!'

Rosalie kneep haar ogen stijf dicht. Ze wilde niet wakker worden, want haar droom was juist zo mooi. Heel stil bleef ze liggen.

Ze droomde dat ze met haar vader, moeder en zusje in een rijtjeshuis woonde. Een doodnormaal rijtjeshuis met in de achtertuin een schommel en een fietsenschuurtje. In haar droom ging ze elke dag naar school. 's Middags kwamen haar vriendinnen bij haar spelen. Dan gingen ze hinkelen op straat en huiswerk maken en...

'Prinses, als u nu niet opstaat, komt u te laat!'

Ze zuchtte en deed haar ogen open. Weg was het rijtjeshuis, weg was de schommel. Hoog boven haar hoofd glansde het donkerblauwe fluweel van haar hemelbed. In de hoek stond een lamp met druppels van kristal. En aan de muur hingen schilderijen van koningen en koninginnen.

Rosalie streek een paar blonde krullen uit haar gezicht. Ze woonde nog steeds in een paleis. En naast haar bed stond Willem, haar lakei. Hij droeg een donkergroene kuitbroek en een kort jasje met koperen knopen. Alleen op bijzondere dagen waren de knopen van echt goud.

'Prinses, vandaag is een speciale dag, weet u nog?'

Ze ging rechtop zitten. Willem zag er opgewonden uit. Zijn haar zat een beetje door de war en hij had rode blosjes. Maar de knopen op zijn jas waren niet van goud.

Ze was nog steeds niet helemaal wakker. Wat was er vandaag dan zo bijzonder? Was haar moeder jarig? Moest haar vader op staatsbezoek?

'Wat...' vroeg ze slaperig.

'School!' riep Willem. 'Vandaag mag u eindelijk naar school!'

En toen wist ze het weer. Ze voelde haar hart kloppen tot in de puntjes van haar vingers, en het werd warm in haar buik. Het was geen droom. Vorige week was ze jarig geweest. En nu vonden papa en mama eindelijk dat ze oud genoeg was om zelf te kiezen. Nu mocht ze naar een echte school.

'Over vijf minuten ben ik beneden,' zei ze snel. 'Juul hoeft me niet te helpen met aankleden, dat doe ik vandaag zelf.'

Ze gooide de dekens van zich af en strekte haar armen uit.

'Want ik ben tien en vandaag ga ik naar school!' Ze lachte.

Willem schudde zijn hoofd en draaide zich om. Maar terwijl hij naar de deur liep, hoorde ze hem tevreden mompelen: 'En het werd tijd ook.'

Hij trok de zware deur zachtjes achter zich dicht.

Rosalie liep naar haar kledingkast. Heel lang had ze erover nagedacht. Welke jurk moest ze aantrekken op haar eerste schooldag? Eerst dacht ze dat de paarse met de pofmouwtjes de beste was. Toen wilde ze haar lichtblauwe jurk van zijde aantrekken. Maar nu wist ze dat het de roze moest zijn, met het nauwe lijfje en de wijde rok. Als je heel hard rondjes draaide in die jurk, was de rok net een vliegende schotel.

Terwijl Rosalie de jurk voorzichtig over haar hoofd liet glijden, hoorde ze de kamerdeur opengaan. Ze zag alleen maar roze borduursels, maar ze kon haar zusje Isabel horen lachen.

'Jij bent echt raar!' zei Isabel.

Rosalie trok de jurk snel over haar hoofd.

'Ik ben helemaal niet raar!' Ze draaide zich om. 'Help me even met de knoopjes.'

Toen Isabel de lange rij kleine knoopjes had vastgemaakt, ging ze op het bed zitten. Ze keek toe terwijl Rosalie een roze lint om haar krullen bond.

'Ik snap het niet,' zei Isabel. 'Waarom wil je nou naar school? Het is toch veel leuker om hier les te krijgen?'

Rosalie schudde heftig haar hoofd, maar zei niks. Hoe kon ze dat nou uitleggen aan haar zusje? Hier op het paleis had ze wel dertig vriendinnen. Maar die meisjes zeiden allemaal: 'Natuurlijk, prinses Rosalie.' En: 'Wat een prachtig idee, prinses.' En: 'Dat is heel vriendelijk van u, prinses.' En al hun moeders waren hofdames. Dat waren dus geen echte vriendinnen.

'Straks kom je bij stomme kinderen in de klas,' zei Isabel. 'Die helemaal niet van adel zijn. En die niet eens kunnen paardrijden.'

'Dan hoeven ze toch niet stom te zijn!' riep Rosalie. Ze was boos, omdat Isabel misschien wel gelijk had. Misschien waren de kinderen in haar nieuwe klas wel allemaal stom.

Ze keek naar Isabel, die keurig op het hemelbed zat, met haar handen in haar schoot. Haar zusje was een echte prinses. Wanneer Isabel in de limousine reed, schitterden haar ogen. Dan zwaaide ze lachend naar alle mensen. Terwijl ze pas acht was. Twee jaar jonger. Als Rosalie daaraan dacht, kreeg ze het gevoel alsof er een onweersbui aankwam. Alsof de lucht steeds donkerder werd en de merels ophielden met zingen.

Ze was de oudste. De kroonprinses. Dat betekende dat zij later koningin zou worden en dat Isabel altijd een prinses zou blijven. Voor de rest van haar leven moest Rosalie glimlachen naar presidenten die ze niet aardig vond. Ze moest in een veel te groot paleis wonen. En ze zou nooit echte vriendinnen hebben.

Er werd op de deur geklopt.

'Prinses! Het vliegtuig vertrekt over een kwartier,' klonk Willems stem.

'Ik kom!'

Snel deed ze nog een flonkerende armband om. Toen holde ze door de lange gangen naar de ontbijtzaal. Ze wachtte niet op haar zusje, want Isabel wilde toch niet rennen. Die liep altijd heel rustig op haar spierwitte sandaaltjes.

'Joepie!' gilde Rosalie toen ze haar moeder aan het ontbijt zag zitten. 'Ik ga naar school!'

De koningin keek op van haar krant. Op de voorpagina stond een foto waarop ze een kinderboerderij opende. Ze zag er prachtig uit en naast haar stond een lachende Isabel.

Rosalie stond ook op de foto, maar ze keek niet in de lens. Haar krullen waaiden voor haar gezicht en ze voerde een varken andijvie. Op de foto zag je duidelijk dat het varken zijn modderige snuit al een paar keer tegen haar jurk had geduwd.

Rosalie bekeek de foto en bloosde een beetje. Het lukte haar nooit om er als een echte prinses uit te zien. Ze hoopte dat haar vader de voorpagina nog niet had gezien. Hij vond dat er geen foto's van zijn kinderen in de krant mochten. Ze zuchtte. Deze foto was vast weer stiekem gemaakt. Je kon als prinses niet eens rustig een varken voeren.

'Ontbijten doe ik wel in het vliegtuig,' zei ze snel.

Haar moeder knikte.

'Willem heeft je schooltas en je brood.'

Ze trok Rosalie naar zich toe.

'Heel veel plezier, lieverd!' Ze gaf haar een zoen.

'Dag, rare Rosalie!' riep Isabel. 'Zorg ervoor dat je geen luizen krijgt van al die vieze kinderen.'

'Nou ja!' zei Rosalie. 'Luizen bestaan alleen in sprookjes, hoor. Echte kinderen hebben geen luizen. Toch, mama?'

De koningin lachte.

'Schiet maar op, straks gaat Willem nog naar school zonder jou.'

Waar is je toverstaf?

'Willem?'

Rosalie zat naast haar lakei in het koninklijke vliegtuig. Onrustig draaide ze een krul om haar vinger. Het was nog maar tien minuten vliegen.

'Ze weten het toch niet op school?' vroeg ze. 'Dat ik een prinses ben?'

'U weet dat ik het er niet mee eens ben.' Willem kuchte. 'De koning en koningin ontslaan me vast en zeker als ze er achterkomen. Maar ik heb precies gedaan wat u gevraagd heeft. U bent ingeschreven als Roos van den Berg.'

Het vliegtuigje schokte. In Rosalies buik voelde het alsof ze een heel stuk naar beneden vielen. Ze werd er nog zenuwachtiger van.

'Zonde van al die mooie namen,' zei Willem treurig. 'Ik weet nog zo goed dat u geboren werd. Uw vader kwam trots naar buiten. Hij riep dat hij een prachtige dochter had gekregen: prinses Rosalie Sophia Esther Emma Cornelia.'

'Ik word gek van al die namen!' riep Rosalie. 'En ik word gek van dat geprinses. Stel je voor dat de juf elke keer zegt: wat is de hoofdstad van Albanië, prinses Rosalie? Wat is 56 gedeeld door vier, prinses Rosalie? Iedereen zou me uitlachen.'

'Ach...'

Rosalie draaide zich boos naar Willem toe.

'Je verklapt het niet, hoor!' zei ze fel. Nu voelde ze zich echt een prinses. 'Het is mijn geheim. Je mag het pas vertellen als ík dat zeg!'

'Natuurlijk, prinses,' zei de lakei beleefd en hij boog zijn hoofd.

Rosalie keek uit het raampje en zei niks meer. Haar hart begon steeds sneller te kloppen. Want beneden tussen de weilanden zag ze het vliegveld al liggen. En achter het vliegveld lag de stad met haar nieuwe school.

'Hier stoppen!' zei Rosalie tegen de chauffeur.

De zwarte BMW stond meteen stil. Rosalie kon haar school al zien liggen. Het was een laag gebouw met grote ramen en een dubbele deur die wijd openstond. Op het schoolplein speelden kinderen tikkertje. Midden op het plein stond een oude kastanjeboom. Zijn stam was zo dik als zes kinderen bij elkaar.

Rosalie zuchtte. Zo had ze zich haar school precies voorgesteld. Alleen het lawaai was onverwacht. De kinderen op het plein schreeuwden en lachten. Fietsbellen rinkelden, vaders en moeders riepen: 'Tot vanmiddag' en auto's toeterden.

'Het laatste stuk loop ik,' zei ze. De andere kinderen mochten niet zien dat ze werd gebracht door een lakei en een chauffeur.

'Willem, mijn tas?'

De lakei gaf haar de schooltas en de chauffeur hield haar deur open. Ze pakte haar rok op en stapte voorzichtig uit.

'Om drie uur halen we u op,' zei Willem. 'Heel veel plezier, prinses.'

Ze draaide zich om en liep vastberaden naar het hek van het schoolplein. Ze keek niet meer om. Als ze dat deed, zou ze vast hard terugrennen en haar armen om Willems nek slaan. En nooit meer loslaten.

'Groep zeven,' zei ze zachtjes tegen zichzelf. 'De klas van juf Moniek. Groep zeven. Juf Moniek.'

De school kwam steeds dichterbij. Ze klemde haar hand om het hengsel van haar tas.

'Dit kan niet erger zijn dan het staatsbezoek aan Japan,' zei ze tegen zichzelf. 'Het is vast niet enger dan de president van Amerika en die heb ik toch ook een hand gegeven.'

Ze liep het schoolplein op. Kinderen riepen naar elkaar. Rosalie keek naar de grond en liep door. Haar hand met de schooltas trilde een beetje.

'Ze kunnen nooit zo vervelend zijn als de kinderen van de koning van Griekenland,' mompelde ze tegen zichzelf.

En toen hoorde ze gelach. Ze keek op. Voor haar stonden twee meisjes van haar eigen leeftijd. Een klein blond meisje met een spijkerbroek en hartjesoorbellen. En een donker meisje met een heel lange vlecht. Ze giechelden.

'Haha, een prinses!' riep het blonde meisje.

'Volgens mij is het een fee,' zei het donkere meisje. 'Maar waar zijn je vleugels? En je toverstaf?'

Rosalie werd rood. Ze keek om zich heen en kreeg het steeds warmer. Het schoolplein was vol met spijkerbroeken, gekleurde truien, vestjes, korte rokjes, laarzen en

sportschoenen. Maar helemaal niemand droeg een roze jurk met een nauw lijfje en een wijde rok. Natuurlijk niet. Natuurlijk droeg niemand een prinsessenjurk. Zo dom waren ze niet.

Er kwamen tranen in haar ogen. De eerste schooldag was nog niet eens begonnen. Maar haar jurk had haar al verraden. Nu zou iedereen weer 'u' zeggen, en: 'Natuurlijk, prinses Rosalie'. Ze staarde naar de dikke kastanje midden op het schoolplein en beet op haar lip. Ze wilde niet huilen.

'Hé, Alexander!' riep het donkere meisje. Haar haar was zo lang dat ze er vast op kon zitten. Ze zwaaide naar een jongen met een skateboard.

'Er komt een fee bij ons op school! Of een prinses, Lisa zegt dat het een prinses is.'

De meisjes begonnen meteen weer te giechelen. De jongen kwam naar hen toe lopen en bleef vlak voor Rosalie staan. Hij had steil bruin haar en vrolijke blauwe ogen. Zijn spijkerbroek was zo wijd dat je een randje van zijn onderbroek kon zien.

Hij bekeek Rosalie een hele tijd, zodat ze verlegen werd. Toen maakte hij een buiging.

'Aangenaam kennis te maken, prinses. Ik ben Alexander.'

Rosalie glimlachte verbaasd. Die jongen zag er aardig uit. En hij had goede manieren. Maar toen hij opkeek, twinkelden zijn ogen. Hij hield haar natuurlijk voor de gek. Op een schoolplein maak je geen buigingen voor elkaar.

'Ik ben...' Ze slikte. 'Ik ben Roos van den Berg.'

Alexander begon te lachen.

'O, nu begrijp ik het! Je bent het nieuwe meisje. Je komt toch in de klas van Moniek?'

'Ja. Juf Moniek, groep zeven.'

'Precies! Dan kom je dus bij mij in de klas, en bij Lisa en Shivani.'

Hij wees op het blonde en het donkere meisje, die nu niet meer giechelden.

'Maar dan hebben ze het verkeerd verteld,' zei Shivani. Ze keek nu vriendelijk naar Rosalie. 'Moniek is pas morgen jarig.'

'Wat...'

'Je dacht zeker dat het verkleden vandaag was?' vroeg Lisa. De hartjes in haar oren schitterden. 'Maar onze juf is pas morgen jarig. Ik ga als Assepoester en Shivani als Doornroosje.'

'Maar jij hebt echt de beste jurk!' riep Shivani. Ze zwaaide haar vlecht op haar rug. 'En die armband lijkt net echt.'

'Dus wat ben je nou?' vroeg Alexander. Hij pakte zijn skateboard op, want de bel ging. 'Een fee of een prinses?'

Rosalie pakte haar schooltas steviger vast en keek naar de drie kinderen. Ze zeiden geen 'u' tegen haar. En ze dachten dat haar diamanten armband nep was. Zouden dit haar eerste vrienden zijn?

'Ik ben een prinses,' zei ze. Ze begon te lachen. 'Maar alleen voor vandaag!'

Ik wou dat ik nooit geboren was!

'Moniek, we hebben het nieuwe meisje gevonden!' riep Shivani toen ze het lokaal in liepen.

'En ze ziet eruit als een prinses, want ze dacht dat je vandaag jarig was,' zei Alexander.

Rosalie bleef in de deuropening staan. Alle kinderen keken naar haar, maar daar was ze aan gewend.

Het klaslokaal was groot en licht. Er hingen tekeningen aan de muur en in de vensterbank stonden twee reusachtige planten met gele bloemen. De tafels stonden in groepjes van vier en zes bij elkaar. De meeste kinderen zaten al op hun plaats.

'Kom mee,' zei Alexander.

Hij pakte Rosalies hand en trok haar mee naar de juf, die uitgebloeide bloemen uit de grote planten knipte. De juf zag er niet uit als een hofdame. Ze had gewoon een spijkerbroek aan. En haar bruine haar zat in een paardenstaartje, dat heen en weer sprong als ze bewoog.

Rosalie stak haar hand uit.

'Het is me een genoegen kennis met u te maken, juf Moniek,' zei ze ernstig.

Ze was verbaasd toen Shivani, Alexander en de anderen begonnen te lachen.

'Je houdt het echt goed vol, zeg,' zei Shivani bewonderend. 'Je moet actrice worden.'

Lisa knikte. 'Je praat net als een echte prinses!'

Rosalie lachte mee en haalde haar schouders op. Maar ze klemde haar hand zo vast om haar schooltas dat haar nagels in haar handpalm sneden. Ze had zichzelf alweer bijna verraden.

'Je hebt echt geluk dat je bij Moniek in de klas bent gekomen,' zei Alexander even later. Hij liet Rosalie de hele school zien. 'Ze is de leukste juf.'

Rosalie gaf geen antwoord. Ze had het veel te druk met kijken.

'Hier zitten de eerstegroepers,' zei Alexander.

De klaslokalen lagen aan een lange gang en hadden grote ramen, zodat je naar binnen kon kijken. Rosalie kon er geen genoeg van krijgen.

In het eerste lokaal speelden twee meisjes met roze kubussen, terwijl een dik jongetje veters leerde strikken. In een ander lokaal leerden kinderen 'huis' schrijven, terwijl drie jongens op de gang een toneelstukje oefenden. Heel stil liepen ze langs een lokaal waar een meisje een spreekbeurt over de zon hield.

Rosalie werd er blij van, maar ook treurig. Haar nieuwe school zag er gelukkig uit. Ze moest eraan denken hoe zij altijd les op het paleis had gehad. Samen met drie keurige dochters van keurige hofdames. In een grote zaal met een beschilderd plafond. Daar leerde ze hoe ze keizers en gravinnen moest begroeten. Hoe ze een toespraak moest houden. Wat ze moest doen als de ministers van haar land ruzie hadden.

'Hier is de schoolbibliotheek,' zei Alexander. Ze liepen langs een hele wand vol boeken en een rij computers.

'Het schoolplein heb je al gezien. En dan is er achter ook nog een tuin waar we courgettes en mais en wortels kweken.'

'Doen jullie dat zelf?' vroeg Rosalie verbaasd.

Alexander knikte trots. 'Onze klas doet altijd het meest, omdat Moniek gek op planten is. Ik zei het toch al? Je hebt echt geluk met haar!'

Rosalie knikte, en lachte. Ze begon ook te geloven dat ze geluk had gehad. Want nu zat ze in de klas bij Lisa en Shivani. En bij Alexander.

'Mama, ik heb nieuwe kleren nodig!'

Rosalie stormde de zitkamer van de koningin binnen. Lola, de koninklijke hond, sprong meteen op van haar fluwelen kussen. Dansend en blaffend kwam ze aanrennen. Ze was bruin met wit en had grote hangoren. Haar staart draaide opgewonden rondjes in de lucht.

'Stil, Lola,' zei de koningin.

Maar de hond luisterde niet. Rosalie was haar lievelingsbaasje. Rosalie was de enige die door de gangen van het paleis holde en die stokken gooide. En ze was de enige die het niet erg vond als er hondenharen in haar bed lagen.

'School was geweldig!' Rosalie knielde bij Lola neer. Ze gaf kusjes op Lola's snuit en langharige oren.

'Ik heb over het voltooid deelwoord geleerd en ik heb de maisplanten water gegeven. En Shivani en Lisa en ik hebben een toneelstukje ingestudeerd voor Monieks verjaardag!'

'Dat klinkt prachtig,' zei de koningin. 'Maar schat, laat Lola niet zo aan je handen likken. En je jurk...'

'Dat zei ik dus!' riep Rosalie. 'Ik moet nieuwe kleren hebben. Niemand op school heeft zulke jurken aan. Ik wil een spijkerbroek en T-shirts en een capuchontrui...'

'Een capuchontrui?'

De koningin schudde haar hoofd.

'Je mag naar een gewone school, Rosalie. Maar je blijft een prinses. Later word je koningin!'

Ze streek over de rok van haar lichtblauwe jurk. Rosalie vroeg zich af of haar moeder nog wist hoe het was om géén koningin te zijn.

'Jij bent niet zoals andere meisjes van tien,' zei haar moeder. 'Dat weet je toch? Als jij gewoon een capuchontrui draagt en een spijkerbroek met een gat erin, dan vergeet iedereen dat je een prinses bent. Dan begrijpen de mensen ook niet meer waarom je in een paleis woont. Waarom je lakeien hebt en een eigen vliegtuig. Dan vergeten ze dat je bijzonder bent.'

Rosalie schudde haar hoofd en kneep haar handen in elkaar. Ze wilde niet boos worden.

'Maar dat is het juist!' zei ze zacht. 'Ik wil helemaal niet bijzonder zijn. Ik wil gewoon zijn.'

'Gewoon?' De koningin keek haar dochter koel aan. 'Als je zo begint, Rosalie, dan kunnen we er wel helemaal mee ophouden. Dan kunnen we net zo goed in een rijtjeshuis gaan wonen.'

Rosalie voelde hoe het in haar buik begon te branden van woede. Wat dacht haar moeder wel? De koningin praatte over een rijtjeshuis alsof het een slákkenhuis was. Of een steen die je moest delen met honderd pissebedden...

'Dat is precies wat ik wil! Ik wil in een gewoon huis wonen. Ik wil elke dag op de fiets naar school. En ik wil een spijkerbroek. Ik kon niet eens op het klimrek met deze jurk!'

Ze veegde boos een traan weg.

'Ik wou dat ik geen prinses was. Ik wou dat ik nooit geboren was!'

Ze pakte haar rok op en rende de kamer uit. Lola kwam blaffend achter haar aan.

Tranen op een verjaardag

'Willem, luister eens.'

Rosalie zat naast haar lakei in het vliegtuig. Het voelde fijn om weer te kunnen praten, want tegen haar moeder had ze gisteren de hele dag niks meer gezegd. En vanochtend aan het ontbijt ook niet.

'Willem, wil je iets voor me doen?' Ze hield haar hoofd scheef. Dat deed Lola ook altijd, wanneer ze bedelde om restjes vlees van de zilveren schalen.

'Wat moet ik voor u doen, prinses?' De lakei zuchtte.

'Zou je vandaag kleren voor me willen kopen?'

Ze praatte zachtjes, hoewel er niemand anders in het vliegtuigje was behalve de twee piloten.

'Kleren kopen?' vroeg Willem verbaasd.

Rosalie knikte. 'Ik kan toch niet de hele tijd in prinsessenjurken lopen als ik Roos van den Berg ben! Vandaag is juf Moniek jarig en is iedereen verkleed. Vandaag kan deze jurk dus nog. Maar morgen heb ik normale kleren nodig...'

De lakei keek een beetje bezorgd.

'Maar... moet ik dan kinderkleren kopen? Voor u – een prinses?'

'Ja!' zei Rosalie opgewonden. 'Gewoon een paar spijkerbroeken, een paar truien... Ik heb genoeg geld hoor, ik heb mijn zakgeld gespaard.'

Willem aarzelde.

'Maar de koning en de koningin willen niet dat u...'
Ze keek hem strak aan.
'Later ben ík koningin.'
Ze wist dat dit gemeen van haar was. Willem was nu een gewone lakei. Maar hij wilde graag butler worden, de baas van alle lakeien op het paleis. Als hij haar nu gehoorzaamde en haar hielp met haar geheim, dan zou hij misschien later, als ze koningin was...
'Natuurlijk, prinses. Ik zal mijn best doen.'
Hij boog zijn hoofd.

In de klas van Moniek zaten nu wel vijf prinsessen. Niemand staarde dus meer naar de roze jurk van Rosalie. Maar Rosalie staarde wel. Ze zag twee vampiers, een konijn, drie piraten, een SpongeBob SquarePants en een echte fee met toverstaf.
'Kom helpen met de tafeltjes!' riep Shivani meteen.
Ze had een rode jurk aan van glimmende stof en een kroontje op haar hoofd. Haar lange donkere haar was los en golfde over haar rug.
'We zetten alle tafels aan de kant en de stoelen in een kring,' vertelde Lisa, die natuurlijk naast Shivani was komen staan.
'Je bent heel vies!' zei Rosalie verbaasd.
Lisa had zwarte vegen op haar wangen en haar blonde haar zat in de war. Ze had een versleten jurk aan die een beetje te klein was. In haar hand hield ze een stoffer en blik.
'Ik ben Assepoester voordat de fee haar betoverd heeft,' vertelde ze.

'Wacht maar!' riep de fee vanaf de andere kant van de klas. Ze zwaaide met haar toverstaf. 'Straks betover ik jullie allemaal!'

Rosalie lachte mee met de anderen. Op het paleis deden mensen nooit een beetje gek. En ze hadden nooit verkleedfeesten.

'Hé, Roos!'

Ze draaide zich om. Achter haar stond een jongen in oranje kleren. Zijn gezicht was feloranje en zijn handen ook. Uit zijn hoofd staken groene slierten, die alle kanten op zwaaiden.

'Ik ben een wortel,' zei Alexander. 'Omdat Moniek zo van planten houdt. En omdat ze ons eigenlijk ook kweekt.'

Rosalie zuchtte gelukkig. Heel veel dingen had ze al gemist op school. Ze zou hier nooit haar veters leren strikken of leren schrijven. Maar vanaf nu zou ze niks meer missen. Ze ging meedoen met alles. Hier, tussen vijf andere prinsessen, drie piraten en een wortel, was ze een doodnormaal meisje. Het voelde geweldig.

'Allemaal in de kring!' riep de SpongeBob.

Rosalie kende nog lang niet alle kinderen, dus ze had geen idee wie er allemaal onder die grijze vachten, ooglapjes en sponzen zaten. Ze ging tussen Shivani en Alexander in de kring zitten. Ze kon bijna niet wachten tot Moniek binnenkwam.

'Sst!' fluisterde een piraat.

En toen kwam de jarige juf binnen. Ze had een korte zwarte rok aan en haar paardenstaartje danste. Meteen begon de klas te zingen.

'Lang zal ze leven, lang zal ze leven, lang zal ze leven in de gloria...'

Rosalie zong mee, maar ze keek ook goed naar Monieks gezicht. Haar juf lachte, maar toch zag ze er niet echt vrolijk uit. Was er iets aan de hand?

De kinderen zongen door. Monieks lach werd breder. Haar onderlip begon te trillen en toen liep er opeens een traan over haar wang.

'Doorgaan!' siste SpongeBob tegen de kinderen die geschrokken ophielden met zingen.

Ze zongen dus door: ‘*Twee violen en een trommel en een fluit en Moniek die is jarig en de vlaggen hangen uit…*’

Rosalie dacht eerst dat het misschien wel een traan van blijdschap was. Maar toen begon Moniek echt te huilen. Een tweede en een derde traan liepen over haar wang. Haar mond vertrok. Ze sloeg haar handen voor haar gezicht.

Nu zong niemand meer.

‘Sorry,’ zei Moniek tussen haar handen door. ‘Jullie zien er prachtig uit. En het zingen was ook…’

De kinderen keken bezorgd naar hun juf. Rosalie had nog nooit een groot mens zien huilen. Ze wilde dat Moniek ophield.

Alexander was de eerste die zich durfde te bewegen.

'Heeft er iemand een zakdoek?' fluisterde hij.

Rosalie knikte. Natuurlijk had ze die bij zich. Shivani bracht de zakdoek en legde voorzichtig een hand op de schouder van de juf.

Niemand zei iets.

Moniek snoot haar neus een paar keer en keek toen op. Haar ogen waren rood.

'Het spijt me,' zei ze. Ze probeerde te lachen. 'Ik maak jullie vast aan het schrikken.'

De kinderen antwoordden niet.

'Is er iets heel ergs gebeurd?' vroeg een piraat zachtjes.

Moniek veegde over haar wang.

'Nee hoor,' zei ze. Maar niemand geloofde haar. 'Weet je wat? We praten er een andere keer over. Nu moeten we feestvieren! Wie wil er cake?'

Het bleef stil.

'Ik heb jullie veel te slim gemaakt.' Moniek zuchtte.

'Oké, weet je wat? Eerst cake en dan vertel ik wat er aan de hand is. Want het heeft ook met jullie te maken. Met deze school.'

Ze zuchtte nog een keer.

De gevangenis

'Er werd al een tijdje over gepraat,' zei Moniek, 'Maar nu is het zeker. Jullie ouders krijgen er morgen een brief over.'

'Waarover?' fluisterde Lisa.

'Sst! Dat gaat ze nu vertellen,' fluisterde Shivani terug.

Rosalie had één hap van haar chocoladecake genomen, maar ze kon hem bijna niet doorslikken. Alle kinderen in de kring waren stil.

'Het is eigenlijk heel spannend.' Je zag aan Moniek dat ze haar best deed om vrolijk te kijken. 'Want we gaan verhuizen. Met de hele school. We moeten naar een ander gebouw.'

'Waarnaartoe dan?' vroeg het konijn.

'Midden in de stad staat een gebouw leeg. Misschien kennen jullie het wel. Het was vroeger het stadhuis.'

'Dat lelijke gebouw!' riep Shivani. 'Dat is helemaal grijs!'

'En waar moet ons schoolplein dan komen?' vroeg Alexander. 'En hoe kunnen we nou tomaten kweken midden in de stad?'

Moniek schudde haar hoofd en gaf geen antwoord.

En toen begreep Rosalie het. Ze zouden helemaal geen nieuwe tuin krijgen. Geen schoolplein met een dikke kastanje. Geen grote, lichte lokalen.

'Waarom moeten we verhuizen?' vroeg ze aan Moniek.

'Dat is erg ingewikkeld...'

De juf haalde haar schouders op. Maar Rosalie had jarenlang les gehad over ministers en wethouders.

'Dit is toch een openbare school?' vroeg ze. 'Onze school is toch van de gemeente? Waarom zeggen ze dan dat we naar een stom gebouw in het centrum moeten?'

Moniek keek haar verbaasd aan.

'De gemeente heeft te weinig geld.' Ze keek nu alleen naar Rosalie. 'Daarom moeten we verhuizen. Ze willen

hier dure huizen neerzetten en die voor veel geld verkopen. Iedereen zou hier wel willen wonen.'

'Natuurlijk wil iedereen hier wonen!' riep Alexander. Zijn gezicht werd nog feller oranje. 'Hier word je niet meteen overreden als je op straat voetbalt en hier kan je wortels kweken!'

Alle kinderen begonnen nu door elkaar te schreeuwen wat je hier allemaal kon doen. Alleen Rosalie zei niks. Als ze in de klas bleef bij Shivani en Alexander en Moniek, dan was het toch niet zo erg om naar een ander gebouw te gaan? Ze zat nu op een echte school. Het maakte toch niet zoveel uit of die in een mooi gebouw was of in een slakkenhuis?

'Wanneer moeten we verhuizen?' vroeg Lisa.

'Veel te snel,' zei Moniek. 'Over zes weken.'

Alexander fronste. 'En dat moet alleen maar omdat ze te weinig geld hebben bij de gemeente? Kunnen wij dan niet allemaal ons zakgeld geven? Al ons zakgeld van een heel jaar?'

Moniek schudde haar hoofd. 'Dat is niet genoeg.'

'En als onze ouders nou ook geld geven?' vroeg een piraat. 'Misschien willen ze allemaal wel honderd euro geven!'

'Dat is nog steeds niet genoeg,' zei Moniek treurig.

'Ik wil dat je langs het oude stadhuis rijdt,' zei Rosalie tegen haar chauffeur. 'Nu, voordat we naar het vliegveld gaan.'

Willem zat naast haar op de leren achterbank. Bij zijn voeten stonden wel acht plastic tassen.

‘Ik ben naar vijf verschillende winkels voor u geweest,’ vertelde hij enthousiast.

Hij rommelde in een grote zak.

‘Er is een vestje met een v-hals dat u echt even moet zien. En weet u dat een vale spijkerbroek hip is op het moment?’

Rosalie gaf geen antwoord.

‘Heeft u het leuk gehad op de verjaarspartij van juffrouw Moniek?’ vroeg de lakei.

‘We hebben spelletjes gedaan,’ zei ze afwezig.

Het was leuk geweest. Maar sommige kinderen in de klas waren wel erg onbeleefd. Het konijn was boos geworden toen Rosalie voor haar beurt met de dobbelsteen gooide. En een andere prinses had haar geduwd. Die vond dat Rosalie te lang met de bibberspiraal speelde.

‘Het oude stadhuis, prinses.’

Rosalie keek op. De auto stond stil langs een drukke weg zonder bomen. De chauffeur wees op een vierkant gebouw van grijs beton. Elke verdieping had een lange rij kleine, vierkante ramen. Voor het gebouw stonden een paar bankjes die waren bespoten met zwarte graffiti.

‘Wat een onding,’ zei Willem. ‘Het lijkt wel een gevangenis.’

De auto stond in de schaduw van het gebouw en Rosalie voelde haar keel dichtknijpen. Voor het eerst in haar leven was ze ontsnapt uit het paleis. Ze mocht naar school. Maar nu ging haar school verhuizen naar een gevangenis.

Ze had gedroomd over een rijtjeshuis. En ze had gedacht dat ze best in een slakkenhuis kon wonen. Dat dat haar niks kon schelen. Alles beter dan het paleis.

Maar nu ze dit grijze blok beton zag, wist ze dat haar school hier nooit gelukkig zou zijn. Hier kon Moniek echt geen kinderen kweken.

Ze balde haar vuisten. Ze was een prinses en later zou ze koningin worden. En wat ze verder ook zou doen in haar leven, voor één ding wilde ze zorgen. Haar school mocht nooit naar dit gebouw verhuizen.

Geen vriendinnen meer

De weken na Monieks verjaardag had Rosalie het heel druk. Zo druk dat het leek of ze steeds buiten adem was. Alles op school was nieuw en elke dag leerde ze er weer iets bij. Voor het eerst in haar leven moest ze zelf bedenken wat ze zou aantrekken. En ze moest zich helemaal zelf aankleden. En dat moest in het geheim.

Elke ochtend om acht uur stapte prinses Rosalie in een prinsessenjurk het vliegtuig in. En elke ochtend om halfnegen kwam ze er als Roos van den Berg weer uit.

Het steile trappetje was geen probleem, want Roos droeg een spijkerbroek en gympen.

De prinsessenjurk bleef in het vliegtuig. Hij wachtte, keurig op een hangertje, totdat Roos 's middags uit school kwam. Dan moest ze weer een prinses worden.

'Heeft u een leuke dag gehad, prinses?' vroeg Willem elke middag.

'Ik mag naar een echte school,' zei Rosalie dan altijd. 'Natuurlijk was het leuk!'

Maar over sommige dingen vertelde ze niet.

Soms was het moeilijk om een gewoon meisje te zijn.

'Dat broodje chocopasta ziet er lekker uit,' zei ze een keer tijdens de lunchpauze.

Ze had haar boterhammen met kaas al op. En nu zag ze in het broodtrommetje van een ander meisje een wit bolletje met chocopasta. Het was het meisje dat op Monieks verjaardag als konijn verkleed was geweest.

'Ik heb mijn brood al op, maar ik heb nog steeds honger,' zei Rosalie.

Het konijn gaf geen antwoord.

'Het zou aardig zijn om dat broodje met chocopasta dan aan mij te geven...'

'Je bent gek,' zei het konijn.

'Dat ben je zelf!' Rosalie schudde haar hoofd. 'Al mijn vriendinnen thuis zouden zo'n broodje meteen aan mij geven. Ik zou het niet eens hoeven vragen.'

'Tss,' zei het konijn en ze stond op.

Drie andere meisjes liepen met het konijn mee het schoolplein over. Rosalie hoorde hen in de verte verontwaardigd praten en toen hard lachen.

'Nou ja!' Ze keek naar Lisa en Shivani, die alles gehoord hadden.

Ze wilde dat haar vriendinnen zeiden: 'Wat een stom konijn! Wat een raar meisje!' Maar Lisa en Shivani zeiden niks en keken haar alleen maar verbaasd aan.

'Tot zes uur!' riep Rosalie de volgende ochtend uitgelaten tegen Willem.

Ze ging vanmiddag bij Shivani spelen. Voor het eerst van haar leven mocht ze bij een gewoon meisje op bezoek.

Shivani had al zoveel over thuis verteld. Ze had een zusje en twee broers, een konijn en drie poezen, en ze woonde in een flat. Rosalie kon bijna niet wachten om het allemaal te zien.

Ze huppelde van de auto naar het schoolplein. Langs de dikke kastanje en zo de school binnen, door de dubbele deur die zoals altijd wijd openstond.

Even dacht ze eraan dat de school over vijf weken moest verhuizen. En ze had nog geen plan verzonnen. Maar toen kon ze alleen nog maar denken aan vanmiddag. Ze ging bij Shivani spelen. Ze had een vriendin!

Rosalie en Shivani mochten die ochtend allebei op de computers in de bibliotheek. Rosalie deed een aardrijkskundespel. Toen ze daar genoeg van had, ging ze bij de boeken kijken. Ze leende *De gebroeders Leeuwenhart* en liep terug naar haar computer. Een klein blond jongetje van een jaar of zes zat op haar plaats.

'Pardon,' zei Rosalie zacht. 'Dit was mijn computer.'

'Nu is hij van mij,' zei het jongetje. Hij zwaaide vrolijk met zijn benen.

'Maar het was mijn computerbeurt.' Rosalie was verbaasd dat het jongetje bleef zitten. 'Ik ging alleen even een boek lenen en nu ben ik weer terug.'

'Sst!' fluisterde de biebjuf.

'Opgestaan, plaats vergaan,' zei het jongetje.

'Wat is dat voor een dom versje!' Rosalie begon boos te worden. Dat stomme kind met zijn blonde piekhaar!

'Het was mijn beurt,' zei ze hard. 'Dat was mijn plaats!'

'Eigen schuld, dikke bult.' Het jongetje grijnsde.

Ze balde haar vuisten. Het was dus toch waar wat Isabel zei. Er zaten stomme kinderen bij haar op school.

'Zo mag je helemaal niet tegen mij praten!' riep ze naar het kind.

'Ik was alleen...'

'Je bent een dief! Een computerdief!'

De onderlip van het jongetje begon te trillen, maar Rosalie hield niet op.

Ze was woedend. Op het jongetje, maar ook op zichzelf. Omdat ze zich nog steeds een prinses voelde.

Haar hele leven had Rosalie elk broodje chocopasta gekregen dat ze wilde. En nog nooit had een hofdame haar computer ingepikt.

Eerst had ze zo ontzettend graag naar een gewone school gewild. Maar het was helemaal niet zo leuk om een gewoon meisje te zijn. Ze slikte.

'Het was mijn computer!' riep ze met een rare hoge stem. 'En nu zit hij vast helemaal onder de luizen. Omdat jij er met je vieze handen aan hebt gezeten. En ik wed dat je niet eens kan paardrijden. Je bent dom en lelijk en gewóón!'

Alle kinderen in de bibliotheek keken naar haar. Shivani schudde haar hoofd.

'Doe even normaal, ja,' zei ze. 'Dat kind is toch veel te klein om de computerlijst te lezen...'

'Doe zelf normaal!' riep Rosalie.

Ze veegde over haar wang. Nu begon ze nog te huilen ook. Ze deed zo haar best. Ze had zelfs een andere naam. Maar ook Roos van den Berg gedroeg zich als een prinses.

Shivani sloeg een arm om het jongetje heen. Ze keek Rosalie koud aan.

'Jij hoeft dus echt niet bij mij te komen spelen vanmiddag.' Ze klonk als een koningin die iemand de doodstraf geeft. 'We zijn geen vriendinnen meer.'

Alexander

Het schoolplein was helemaal leeg. Op één meisje na.

De school was allang uit. Vaders en moeders hadden hun kinderen opgehaald, fietsbellen hadden gerinkeld, Moniek had nog gezwaaid. Lisa en Shivani waren in de auto van Shivani's moeder gestapt. Ze hadden niet één keer omgekeken.

Rosalie zat op de bank bij de oude kastanje. Ze huilde niet meer. Maar in haar buik en haar benen en hoofd was ze nog steeds treurig. Want het was dus waar. Op het paleis deden alle hofdames en lakeien alleen maar aardig tegen haar omdat ze een prinses was. Als je de diamanten en de jurken en het vliegtuig weghaalde, dan was ze helemaal geen leuk meisje.

Ze zuchtte en staarde naar een scheur in de knie van haar spijkerbroek. Nog meer dan twee uur voordat Willem haar kwam ophalen. Gelukkig regende het niet. Ze zou hier gewoon blijven zitten en niet meer bewegen. Dat was haar straf.

'Hé, Roos!'

Ze hoorde kleine wieltjes over de tegels van het schoolplein ratelen, maar ze keek niet op. Haar ogen waren natuurlijk rood van het huilen. Vlak voor haar stopte het skateboard.

'Roos?' klonk Alexanders stem. 'Blijf je hier de hele middag zitten?'

Ze haalde haar schouders op.

'Ik hoorde van Shivani over de bibliotheek,' zei Alexander. 'Dat je van een prinses veranderde in een heks.'

Hij lachte.

'Dat arme jongetje, die durft nooit meer op de computer. En zei je echt tegen hem dat hij luizen had? Waar haalde je dat vandaan?'

'Het was mijn computerbeurt,' zei Rosalie zacht. 'Kun je me niet met rust laten?'

Ze keek op en ze voelde dat er alweer een traan over haar wang rolde.

'Natuurlijk, prinses,' zei Alexander vriendelijk.

Ze moest denken aan haar eerste schooldag, toen hij

een buiging voor haar had gemaakt. Toen hield hij haar voor de gek. Maar nu klonk hij aardig.

'Alleen zijn, is dat echt wat u wilt, prinses?'

Zijn blauwe ogen keken ernstig.

Rosalie was verbaasd. Eerst had ze het leuk gevonden dat niemand op school wist wie ze was. Niemand zei 'prinses' tegen haar. Maar nu vond ze het fijn dat Alexander haar zo noemde. Als hij 'prinses' zei, leek het alsof hij haar kende.

'Nou?' vroeg hij, want ze had nog geen antwoord gegeven.

Ze keek hem aan en voelde dat er geen nieuwe tranen kwamen. Hij keek zo vriendelijk en hij deed nu zo gewoon en aardig tegen haar. Terwijl ze een heks was.

Het schoolplein was helemaal leeg, maar ze fluisterde: 'Alexander...'

'Wat?' vroeg hij verbaasd.

'Kun je een geheim bewaren? Een heel groot geheim dat niemand mag weten?'

Hij knikte.

'Zweer het!' zei ze dringend. 'Zweer dat je mijn geheim niet zal verraden.'

Hij streek door zijn bruine haar.

'Is het iets gevaarlijks? Heb je iemand vermoord?'

'Natuurlijk niet!' Ze schudde geërgerd haar hoofd. 'Zweer het!'

Hij knikte, en hield twee vingers omhoog.

'Ik zweer dat ik je geheim niet zal doorvertellen.' Hij ging naast haar op de bank zitten.

Rosalie plukte zenuwachtig aan de rafelige scheur in haar spijkerbroek.

'Die allereerste dag, toen ik voor het eerst op school kwam, was ik niet verkleed,' fluisterde ze. Ze haalde diep adem. 'Zulke jurken heb ik altijd aan. Want ik ben echt een prinses.'

Alexander begon te lachen.

'Echt waar! Ik woon in een paleis en elke dag kom ik met het vliegtuig naar school. Ik ben Rosalie Sophia Esther Emma Cornelia – en later word ik koningin!'

'Néé...' Hij lachte nog steeds een beetje. 'Jij bent prinses Rosalie?'

Toen ze alleen maar knikte, ging hij steeds ernstiger kijken.

'Dat kan niet.' Hij schudde zijn hoofd. 'Waarom zou je

dat nou geheim houden? Alle meisjes willen toch een prinses zijn!'

'Ik werd er gek van,' zei ze kortaf.

'Heb je dan ook bedienden?'

'Die heten lakeien.'

'En een kroon?'

'Als ik koningin word.'

'En iedereen doet wat je zegt? En je krijgt altijd je lievelingseten? En je bent heel rijk?'

'Helemaal niet!'

'Je hebt een vliegtuig!'

Ze haalde haar schouders op.

'Papa en mama zijn rijk, maar ik niet. Voor mijn verjaardag wilde ik een keer een achtbaan. En toen kreeg ik een fiets! Papa is altijd heel bang dat ik verwend raak. Dus ik krijg nooit dure cadeaus. Anders zou ik wel om geld vragen voor onze school.'

'Hoe bedoel je?'

'Zodat onze school niet hoeft te verhuizen. Maar papa geeft me nooit zoveel geld. Dus nu moet ik iets anders verzinnen. Misschien...' Ze aarzelde. 'Misschien kan jij helpen?'

Alexander knikte. 'Natuurlijk!' Toen begon hij te lachen.

'Dus je bent echt prinses Rosalie? Je woont in een paleis en je wordt later koningin?'

Hij bekeek haar van top tot teen, net zoals hij de eerste dag had gedaan.

'En we gaan dus iets verzinnen om onze school te redden? En jij–' Hij stopte en keek haar verschrikt aan.

'Moet ik dan geen u zeggen?'

Ze schudde haar hoofd. Haar krullen dansten op haar schouders.

'Natuurlijk niet! Alleen als...' Ze beet op haar lip en dacht na. Was dat mogelijk? Kon ze dat echt doen?

'Misschien moet je vanavond wel u tegen me zeggen.' Ze voelde haar wangen warm worden. 'Als je tenminste zin hebt om...'

'Om wat?'

'Om vanavond bij prinses Rosalie op het paleis te komen dineren.'

Luizen en sprookjes

Rosalie stapte als eerste het koninklijk vliegtuig binnen. Toen ze niks achter zich hoorde, draaide ze zich om. Alexander stond nog in de deuropening. Hij was helemaal stil. Hij keek naar de zachte rode stoelen met de borduursels van gouden kroontjes. Naar het dienblad met lekkere hapjes en naar de prinsessenjurk die al klaar hing.

De piloot vertelde over het besturingspaneel in de cockpit. En nog steeds kon Alexander niks zeggen. Zijn mond ging open toen hij het grijze vliegtuig zag staan. En zijn mond ging niet meer dicht.

Rosalie lachte. Opeens zag ze haar leven door de ogen van een gewoon kind. Ze keek het vliegtuig rond alsof ze het voor de eerste keer zag.

'Prinses?' Willem kuchte. Alexander was nog steeds in de cockpit. 'Weten uw ouders dat jongeheer Alexander komt logeren?'

Ze lachte nog breder.

'We hebben zeventien logeerkamers in het paleis en er is altijd te veel eten.'

'Dus u heeft het niet laten weten?'

'Nee!'

'Maar zo'n gewone jongen uit uw klas...' Willem klonk bezorgd. 'Als hij tenminste een graaf was, of een baron...'

'Alexander ziet er veel mooier uit dan een baron!' riep Rosalie verontwaardigd.

Maar ze was wel zenuwachtig.

'Wat cóól!'

Alexander praatte weer. Ze reden over de brede oprijlaan met de oude beuken. Voor hen lag het paleis. Het was zo groot dat je niet kon zien waar de zijvleugels ophielden. Eeuwen geleden was het gebouwd van lichtgele stenen.

Door honderden jaren van regen en wind waren de stenen donkerder geworden. Maar je kon nog steeds zien dat er lelies en engelen in uitgehakt waren.

De ramen van het paleis waren zo hoog als twee verdiepingen van Alexanders huis. En boven op de torens links en rechts wapperde een vlag.

'Je moet zo gelukkig zijn!' zei Alexander. 'Om daar te wonen!'

Rosalie knikte, maar zei niks. Ze had haar prinsessenjurk weer aan en ze begon steeds zenuwachtiger te worden. Nog even, en dan ontmoette Alexander haar vader en moeder.

'Wat is jouw kamer dan?'

Ze wees op een paar hoge ramen op de eerste verdieping.

'Dat is mijn slaapkamer. Dat is mijn zitkamer – daar maak ik mijn huiswerk – en dat is mijn speelkamer. En daarnaast is Lola's kamer.'

'Lola?'

'Onze hond.'

'Ik ga het nooit allemaal onthouden!' Opeens klonk Alexander ook zenuwachtig. 'Je ouders heten "majesteit" en je zusje en jij "koninklijke hoogheid", en allemaal "u" natuurlijk... En Lola? Wat zeg ik tegen haar? Uwe koninklijke hond?'

Rosalie giechelde.

'Die heet gewoon Lola. En denk eraan.' Ze was nu ernstig. 'Roos van den Berg bestaat hier niet. Papa en mama denken dat ik gewoon een prinses ben op school.'

'Noem dat maar gewoon,' zei Alexander.

Hij keek weer naar het paleis.

'Zo cool!' Hij grijnsde.

Het avondeten met de koning en de koningin was voorbij. Rosalie zat met Alexander in haar zitkamer bij de open haard. Ze dronken warme chocolademelk en roosterden spekkies in het vuur. Lola lag naast hen op de grond.

'Ik vergat de helft van de tijd om majesteit te zeggen,' zei Alexander, maar hij klonk heel vrolijk.

'Ik kreeg bijna de slappe lach,' zei Rosalie. 'Vooral toen je vertelde dat ik bij gym met mijn prinsessenjurk vastzat in de trampoline.'

Ze draaide haar spekkie rond in het vuur.

'En toen mijn zusje opeens vroeg of we ook luizen hadden op school! Moest je nou echt vertellen dat je moeder luizenmoeder is geweest?'

Ze stopte het geroosterde spekkie in haar mond en begon weer te giechelen.

'En je bleef maar doorpraten over die luizen! Isabel

vond het echt geweldig. Maar nu durft ze me vast niet meer aan te raken als ik uit school kom…'

Ze aaide Lola's kop en de lange haren op haar oren. Lola deed haar ogen dicht.

'Uwe koninklijke hond…' zei Rosalie zachtjes. 'Dat is een goede naam voor je.'

Ze keek op naar Alexander.

'Weet je, Lola is de enige die niet weet dat ik een prinses ben, en me toch aardig vindt.'

Alexander keek naar de hond, die haar kop op Rosalies knie had gelegd.

'Ik vind je toch ook aardig?' Hij bleef naar Lola kijken. 'En het maakt me niks uit dat je een prinses bent.'

'Ik zag hoe je naar het vliegtuig keek,' zei Rosalie zacht. 'En naar het paleis. Toen je dat allemaal had gezien, dacht je: "Hmm, die Rosalie, daar moet ik vrienden mee blijven."'

'Tuurlijk dacht ik dat wel even.' Alexanders blauwe ogen keken eerlijk. 'Tuurlijk is het leuk als iemand een paleis heeft. Maar als je een rotkind was, dan zou een paleis dat echt niet goedmaken. Dan was ik hier niet.'

Hij stopte het laatste spekkie in zijn mond.

'Dus stop nou met zeuren over je vliegtuig en je paleis, en denk na! We moeten een plan verzinnen om de school te redden, weet je nog?'

Je verraadt me niet!

'Papa gaat dus nooit geld geven voor onze school.'

Rosalie sloeg haar armen om haar knieën. Ze keek naar de geel-oranje vlammen die aan de houtblokken likten.

'En iemand anders?' vroeg Alexander. 'Je bent een prinses! Dan moet je toch wel wat mensen kennen...'

Ze schudde haar hoofd.

'Ik geef heel veel mensen een hand. Maar dan ken ik ze nog niet. Ik bedoel: ik kan nu echt niet opeens geld gaan vragen aan de president van Amerika...'

'Echt? Heb je die...'

Ze haalde haar schouders op.

'Toen was ik pas vier, hoor. Maar goed, meestal mag ik helemaal niet mee op staatsbezoek. Papa wil niet dat er steeds foto's worden gemaakt van Isabel en mij. Ik vond het altijd overdreven, maar...'

'Wat?'

'Maar nu ben ik er blij om. Want nu kan ik Roos van den Berg zijn. Anders had je me meteen herkend en dan was het schoolplein opeens vol journalisten geweest.'

Alexander gaf geen antwoord. Hij steunde met zijn kin op zijn hand en trok een rimpel tussen zijn wenkbrauwen.

'Stel je voor dat het *Journaal* erachterkomt dat prinses Rosalie bij ons op school zit,' zei hij langzaam. 'Dan komen ze bij ons in de klas filmen. En dan ziet iedereen hoe leuk onze school is. Misschien hoeven we dan niet te verhuizen...'

'Je doet het niet!' riep Rosalie.

Ze pakte Alexander bij zijn schouder en schudde hem door elkaar.

'Je hebt gezworen dat je mijn geheim niet zou verraden! Als iedereen weet dat ik een prinses ben, is er niks meer aan. Dan staan er elke ochtend fotografen bij het vliegveld. En cameraploegen op het schoolplein. Dan moet ik bewakers hebben. En dan weet ik nooit of mensen míj aardig vinden, of de kroonprinses. Je verraadt me niet!'

Lola was verschrikt opgestaan. Ze keek Rosalie vragend aan met haar bruine hondenogen.

'Sorry.' Rosalie aarzelde. 'Ik ben soms een beetje...'

'Een heks.' Alexander lachte. 'Het was maar een idee, hoor. Ik zal je geheim niet verraden. We bedenken wel iets anders.'

Ze zaten zwijgend in het vuur te kijken toen Rosalies kamermeisje op de deur klopte.

'Prinses, het is tijd om naar bed te gaan. Zal ik jongeheer Alexander naar de gele slaapkamer begeleiden?'

'Ik hoop dat ik niet verdwaal,' fluisterde Alexander. 'Kom jij me morgen ophalen?'

Toen alles donker was in het paleis, sloop Rosalie haar bed uit en de gang op. Haar blote voeten zakten weg in het dikke tapijt, dat zwart leek in het duister. Haar kanten nachtjapon ruiste.

Alleen de oude klok in de marmeren hal maakte geluid. Elke tik weergalmde door het paleis.

Rosalie had geen licht nodig. Ze kende het paleis al tien jaar. Op de tast liep ze de gang uit en de hoek om.

De marmeren trap midden in het paleis zag er spookachtig uit in het maanlicht. De treden waren koud onder haar voeten.

Op de tweede verdieping liep ze naar de vijfde deur in de onverlichte gang. Ze krabde zachtjes aan het donkere hout.

'Alexander!' fluisterde ze. 'Alexander!'

Ze wachtte even en krabde nog eens. Toen ging de deur van de gele slaapkamer open.

'Wat...' Alexanders haar stond recht overeind en zijn ogen zaten halfdicht.

'Ik heb een plan!' fluisterde ze. 'Een plan om onze school te redden!'

'Hoe laat is het?'

'Dat doet er niet toe!'

Ze duwde zijn deur open en rende naar het reusachtige hemelbed. Snel stopte ze haar voeten onder het gele donsdek.

'Dat is mijn bed...' zei Alexander slaperig.

'Kom er dan bij!'

'Ik had een erwt onder mijn matras moeten leggen.' Hij geeuwde. 'Dan ging je wel weg.'

'Nee hoor.' Ze lachte. 'Isabel en ik speelden vroeger zo vaak prinses op de erwt. Maar we voelden nooit iets.'

Ze trok de dekens nog wat verder over zich heen.

'Maar daarvoor kwam ik helemaal niet. Ik heb een plan. Jij zei dat iedereen op het *Journaal* moet zien hoe

leuk onze school is. Want dan geven de mensen wel geld.'

'Maar je wil toch niet vertellen dat je een prinses bent?'

'Dat doe ik ook niet!' Haar hart klopte snel. Van dit plan hing alles af.

'Ik blijf gewoon Roos van den Berg, maar mijn ouders moeten op bezoek komen op school. Heel officieel, met camera's en fotografen. En dan zeggen ze hoe jammer het is dat de school moet verhuizen. Ze vertellen alleen niet dat ik hun kind ben!'

Alexander wreef in zijn ogen. Hij zag er nog steeds niet helemaal wakker uit.

'Maar straks verraden je ouders je! En dan weet iedereen dat je een prinses bent.' Hij keek haar aan. 'Kunnen jullie zo goed toneelspelen? Kunnen jullie iedereen wijsmaken dat jullie elkaar helemaal niet kennen?'

Ze zuchtte.

'We spelen wel vaker toneel. Denk je dat de koning altijd vrolijk is? Dat hij altijd zin heeft om te wuiven? Natuurlijk niet.'

Alexander fronste zijn wenkbrauwen.

'Oké, stel dat het lukt... Dan zien je ouders wel dat je een spijkerbroek aanhebt! En dan halen ze je vast van school, omdat ze vinden dat je veel te gewoon bent.'

Rosalie knikte, en beet op haar lip. Dat had ze zelf ook al bedacht. Papa en mama zouden woedend zijn. Hun dochter in een spijkerbroek, zonder bewakers, en zonder diamanten om haar hals!

'Maar als we niks doen, dan verhuizen we allemaal naar een gevangenis.' Ze slikte. 'Met mijn plan hoeven we misschien niet te verhuizen. Dan houdt Moniek de schooltuin en dan houden jullie het schoolplein.'

'Maar als jij dan van school moet...'

Ze haalde haar schouders op. Ze keek hem niet aan.

'Ik ben gewend aan deze gevangenis.'

Ze keek de kamer rond. De geel brokaten gordijnen van het hemelbed glansden in het licht van Alexanders bedlampje. Aan de muur hing een schilderij van haar overgrootvader.

'Zeg nou zelf.' Ze probeerde opgewekt te klinken. 'Het is hier echt niet zo lelijk.'

Alexander knikte. Hij kon niks zeggen.

'Morgen vraag ik het aan mijn ouders,' zei ze. 'Dat wordt nog lastig, want de koning gaat nooit zomaar even bij een school op bezoek...'

'Maar onze school is bijzonder.'

'Precies.'

De koning en de kroonprinses

Rosalie lag de hele nacht wakker. Met wijdopen ogen staarde ze naar het donkerblauwe dak van haar hemelbed. Morgenochtend zou ze meteen naar papa gaan.

Ze zag het al voor zich. Papa noemde haar altijd 'mijn kleine Roosje', en dan woelde hij met zijn hand door haar krullen. Maar morgen mocht hij dat niet doen. Morgen moest hij de koning zijn.

Ze keek naar een streep maanlicht die haar kamer binnenviel. Morgen moest papa een echte koning zijn. Nou, dan zat er voor haar maar één ding op. Dan moest zij een echte kroonprinses zijn.

De volgende ochtend stond ze heel vroeg op. De alledaagse prinsessenjurk liet ze hangen. Uit haar klerenkast haalde ze de jurk die ze op haar vaders veertigste verjaardag had gedragen.

Dit was nou een jurk voor bijzondere dagen. Van die dagen waarop de knopen op Willems jasje van goud waren. De glanzende stof had de kleur van vanille-ijs en was doorweven met ragfijne gouden draden. Bij deze jurk hoorden een gouden armband en een diadeem met diamanten. Die lagen allebei in de kluis in haar kleedkamer.

Rosalie kamde haar krullen totdat ze glansden en zette voorzichtig de diadeem op haar hoofd.

Ernstig keek ze naar zichzelf in de spiegel. Dit was

Roos van den Berg niet meer. Dit was kroonprinses Rosalie Sophia. Dit meisje werd later koningin. Ze strekte haar rug en deed haar kin omhoog. Ze was de kroonprinses.

'De koning moet maar eens naar me luisteren,' zei ze zachtjes.

Het was halfzeven. Alexander sliep nog, en Isabel ook. Maar haar vader was altijd vroeg op. Ze liet zich aankondigen door een lakei.

'Hare koninklijke hoogheid prinses Rosalie Sophia!'

De koning keek op van zijn werktafel. Hij had gewoon een overhemd aan, geen uniform. Zijn ogen waren net zo blauw als die van Rosalie en hij had bruin haar en een donkere snor.

'Hé Roosje! Wat ben je vroeg wakker.'

Rosalie bleef bij de deur staan. Ze maakte een officiële buiging. Precies diep genoeg, precies lang genoeg.

'Majesteit,' zei ze plechtig. 'Heeft u tien minuten de tijd?'

'Gekkie!' De koning lachte. 'Waarom heb je die prachtige jurk aan? En je diadeem! Pas je daar wel mee op?'

'Majesteit, ik ben hier niet als uw dochter. Ik ben hier als kroonprinses. Ik heb een belangrijk verzoek.'

De koning keek Rosalie onderzoekend aan. Hij wees op een stoel voor zijn bureau waar ze mocht gaan zitten.

'Dit is toch niet omdat je nog een hond wilt, hè?' vroeg hij. 'Lola geeft echt al genoeg haren overal. Vooral nu ze in de rui is!'

'Majesteit, ik ben hier niet gekomen om over een hond te praten.'

Ze keek haar vader ernstig aan. Haar hart klopte in haar keel, maar ze liet niks merken.

Ze wilde zo graag dat papa haar serieus nam. Normaal rende ze altijd met Lola door de gangen van het paleis. Normaal liet ze modderige varkenssnuiten aan haar jurk snuffelen. Maar vandaag was ze de kroonprinses. Vandaag moest ze haar school redden.

'Majesteit, u weet dat ik sinds twee weken naar een openbare school ga.' Ze klemde haar handen in elkaar, en even voelde ze zich Roos van den Berg.

'Onze school is echt geweldig, majesteit! Er is een heel groot plein en een tuin waar we wortels kweken. Alle lokalen zijn gezellig en er zijn grote ramen. Maar nu moeten we verhuizen! Er is te weinig geld en daarom moeten we naar een heel lelijk gebouw midden in de stad.'

Opeens herinnerde ze zich weer dat ze moest praten als de kroonprinses. Ze kuchte.

'Majesteit. Ik wil u vragen of u samen met de koningin op bezoek wilt komen op onze school.' Ze keek hem smekend aan. 'Dan ziet iedereen hoe leuk onze school is en dan geven mensen vast wel geld...'

De koning speelde met een gouden leeuwtje dat op zijn bureau stond.

'Lieverd...'

Ze keek hem dreigend aan.

'Pardon,' zei de koning. 'Koninklijke hoogheid! Je weet dat we Isabel en jou niet willen voortrekken. We kunnen toch niet opeens naar jouw school gaan omdat die toevallig moet verhuizen? Er zijn zoveel scholen die in een lelijk gebouw zitten. Waarom zouden we dan precies jouw school helpen? Dat is niet eerlijk...'

Ze voelde tranen in haar ogen, maar ze bleef hem aankijken.

'Papa...' Haar keel zat dicht.

Ze slikte. 'Alsof het eerlijk is dat Isabel altijd prinses mag blijven en dat ik koningin moet worden. Of dat ik

een vliegtuig heb en Alexander alleen maar een skateboard. Er is zoveel niet eerlijk! En het is niet alleen mijn school, maar ook die van Moniek en Lisa en Shivani en Alexander en alle anderen...'

'Ik weet het niet.' De koning schudde zijn hoofd.

Rosalie keek naar het grote portret aan de muur. Papa had het voor zijn verjaardag gekregen: zij en Isabel, samen met Lola, in een tuin vol bloemen. Ze knipperde een paar keer met haar ogen. Toen zag ze het schilderij pas scherp.

'Als je mij niet wilt voortrekken...'

Ze keek nog eens naar de twee lachende prinsessen in hun vrolijke bloemenwei. Er was niks aan te doen: ze was een prinses. En later werd ze koningin. Ze zuchtte heel diep. Dan kon ze beter een goede koningin worden. Eentje die haar vrienden hielp.

Ze keek haar vader recht aan.

'Als je me niet wilt voortrekken, dan ga ik wel van school. Dan is het niet meer mijn school. En dan kunnen jullie wél op bezoek gaan.'

De koning keek haar verbaasd aan.

'Wil je het zo graag? Maar dan heb je er zelf niks meer aan.'

'Maar Moniek en Alexander en de anderen wel...'

De koning zette het gouden leeuwtje met een harde tik neer. Hij keek zijn dochter een hele tijd aan. Toen knikte hij.

'Koningin Rosalie...' zei hij langzaam. 'Ik vind dat het mooi klinkt.'

Hij stond op.

'Afgesproken. We brengen een bezoek. En waag het niet om voor die tijd van school af te gaan. Je moet me die beroemde wortels laten zien.'

Wij helpen wel

'Ik heb zulk spannend nieuws voor jullie!'

Juf Moniek hijgde een beetje. Haar wangen waren rood en haar paardenstaartje danste vrolijker dan ooit.

'Gaan we nog eerder verhuizen?' vroeg Shivani somber. 'Moeten we dozen gaan inpakken?'

Deze laatste dagen was het heel rustig in de klas. Iedereen was stil aan het werk, zonder te kletsen en te giechelen. De verhuizing kwam steeds dichterbij.

'Nee, het is iets heel anders.' Moniek straalde. 'Iets heel bijzonders. Over twee dagen komen de koning en koningin bij ons op bezoek. Op onze school!'

'Cool!' riep Alexander. Hij grijnsde naar Rosalie.

'Ik kan het nog niet geloven,' zei Moniek. 'De koning en koningin hier op school. En weten jullie wat het spannendst is? Onze klas mag ze een rondleiding geven!'

Lisa en Shivani en de anderen begonnen meteen door elkaar te lachen en schreeuwen. Alleen Rosalie bleef stil.

Ze keek verbaasd om zich heen. Wat deed iedereen opgewonden over haar vader en moeder! Maar toen bedacht ze dat ze haar geheim niet mocht verraden. Ze moest natuurlijk ook opgewonden zijn.

'Echt spannend!' riep ze keihard.

Alexander grinnikte en Shivani lachte even naar haar. Misschien per ongeluk, want ze hadden nog steeds ruzie. Maar Rosalie vond het wel fijn.

'En prinses Rosalie?' vroeg Lisa opeens. 'En prinses Isabel? Komen die ook?'

Rosalie hield haar adem in.

'Nee, die niet,' zei Moniek. 'De prinsessen gaan nooit mee met dat soort bezoeken. Dan zijn er veel te veel fotografen.'

'Ik vind dat echt stom!' riep het konijn. 'Toen prinses Rosalie jarig was, stond er ook alleen maar zo'n heel onduidelijke plechtige foto in de krant. Met haar haren heel raar opgestoken!'

Rosalie keek strak naar haar tafeltje. Maar van binnen borrelde ze van het lachen. Op haar verjaardag had de paleiskapper haar krullen helemaal steil gemaakt. En toen bovenop haar hoofd gedraaid. Deze keer had het konijn gelijk. Ze had er toen heel raar uitgezien.

Moniek bleef maar ongelovig haar hoofd schudden.

'De koning hier bij mij in de klas! Waar moeten we beginnen?' jammerde ze. 'We hebben nog maar twee dagen. En ik heb zoiets nog nooit meegemaakt!'

'Wij helpen wel,' zei Alexander.

Andere kinderen knikten, en toen begonnen ze door elkaar te schreeuwen.

'Ik kan ramen wassen!'

'Ik ga de gang opruimen!'

'Ik zal alle kauwgum onder de tafeltjes weghalen!'

Rosalie luisterde en werd steeds blijer. Iedereen wilde helpen!

'We moeten in elk geval de moestuin laten zien,' riep Alexander. 'Dat is de mooiste plek van de hele school.'

'En er moeten andere tekeningen op het prikbord,' zei

Shivani. 'Deze zijn veel te bloederig voor de koningin.'

Op het grote grijze prikbord hingen nu vijfentwintig zelfverzonnen monsters. Prachtige monsters, met scherpe tanden en paarse ogen en vuurbollen in hun klauwen. Maar Shivani had natuurlijk gelijk. Die tekeningen waren veel te eng voor de koningin.

'Misschien kunnen we allemaal tekenen wat we het leukst vinden aan onze school?' Rosalie zei het zacht. Ze wist niet zeker of ze wel mee mocht doen met het plannen maken. 'Dan ziet iedereen meteen hoe mooi onze school is. En dat we niet mogen verhuizen...'

'Dat is een goed idee!' riep Shivani. Nu lachte ze echt naar Rosalie. 'Dat doen we!'

Rosalie zuchtte gelukkig. Shivani negeerde haar niet meer. Nu durfde ze haar misschien ook nog wel iets te vragen. Maar dat kwam straks pas.

De school was uit. Rosalie stond helemaal alleen in de moestuin. Alexander had beloofd om Shivani en Lisa mee te nemen naar de tuin. Maar zouden ze wel komen? Misschien waren ze toch nog boos.

Ze stopte haar handen in de zakken van haar spijkerbroek. Langzaam liep ze heen en weer door de tuin. Het fijne blad van de wortels stak al een heel stuk boven de grond uit. De doperwtjes begonnen te bloeien.

Toen bleef ze staan. Om de hoek van de school kwamen Alexander, Lisa en Shivani.

'Wat moeten we hier dan?' Shivani fronste.

'Luister even naar haar,' zei Alexander. 'Roos heeft een plan.'

‘O ja?’ vroeg Lisa. Ze klonk een beetje vijandig. Maar ze bleef staan.

‘Ja,’ zei Rosalie. ‘Echt waar.’

Ze hoorde zelf dat het een beetje zielig klonk. Maar nu moest ze doorgaan.

‘Morgen komen de koning en koningin op bezoek. Dan komen er vast ook heel veel fotografen en camera’s mee.’ De anderen bleven stil, dus ze ging door.

'Dat is onze kans! Dan kunnen we iedereen laten zien hoe leuk onze school is. En hoe erg wij het vinden dat we gaan verhuizen. En daarom...'

Ze aarzelde.

'Ja?' vroeg Shivani ongeduldig.

'Kunnen jullie voor de camera's laten zien hoe verdrietig we zijn over de verhuizing? Vertel hoe ons nieuwe gebouw van grijs beton eruitziet. Vertel over de moestuin. Iedereen gaat morgen natuurlijk het meest op de koning en koningin letten. Maar eigenlijk zijn de journalisten het belangrijkst. Die moeten we aan onze kant krijgen.'

Ze hield haar adem in. Zouden Lisa en Shivani willen helpen? Ze moesten nu toch geloven dat Roos echt hun school wilde redden.

'Zal ik tranen in mijn ogen krijgen als ik over de verhuizing praat?' zei Shivani enthousiast. 'Dat kan ik!'

Rosalie begon te lachen.

Nu was er nog één ding dat ze moest doen. De avond voor het bezoek schreef ze een brief aan haar ouders. Willem mocht de brief morgenochtend pas aan de koning geven. Dan was zij al naar school.

Lieve papa en mama,

Dank jullie wel dat jullie naar mijn school komen! Maar er is iets wat jullie nog niet weten. Op school heet ik Roos van den Berg. Niemand weet dat ik een prinses ben. En ik heb gewone kleren aan...

VERRAAD ME ALSJEBLIEFT NIET!

Als jullie heel boos zijn en als ik van school moet, willen jullie dat dan pas later zeggen? Niet tijdens het bezoek. Want dan horen alle kranten het ook en dan gaan ze allemaal foto's maken van mij. En ze moeten juist foto's maken van onze school!

Rosalie

PS: Sorry! Echt waar.
PS2: Alexander kennen jullie zogenaamd natuurlijk ook niet…

Het bezoek

'Ze komen eraan!' riep Alexander.

'Ik weet niet waar ik moet kijken,' zei Shivani zenuwachtig. 'Naar de koning en koningin, of naar de journalisten?'

'Allebei!' fluisterde Rosalie.

Lisa zei niks. Ze klemde een bos roze pioenrozen in haar handen. Dat waren de lievelingsbloemen van de koningin.

Ze stonden met z'n vieren bij de ingang van de school. Het koninklijke echtpaar stapte net uit een zwarte limousine. Rosalie zag dat Willem, haar eigen lakei, ook was meegekomen.

Kinderen op het schoolplein begonnen te juichen en cameraploegen drongen naar voren. De directeur van de school stond bij het hek en maakte een buiging.

Rosalie giechelde, want er klopte niks van zijn buiging. Maar toen werd ze meteen weer serieus. Haar ouders liepen daar! Ze hadden haar brief nu natuurlijk gelezen. Zouden ze heel boos zijn?

'Nu zijn wij aan de beurt!' Alexander kon bijna niet stil blijven staan.

Langzaam kwamen de koning en koningin naar de kinderen toe lopen. Rosalies vader droeg een uniform, haar moeder een donkerblauwe jurk en een grote hoed. De fotografen en camera's volgden hen op de voet.

'Majesteit,' zei de directeur plechtig, 'deze zevendegroepers brengen u naar de klas van Moniek. Dit zijn Alexander, Shivani, Lisa en Roos.'

Rosalie zag haar moeder verstijven. De koningin keek naar Rosalies spijkerbroek, haar roze vestje en ketting van felroze plastic kralen. Ze fronste.

Maar de koning aarzelde niet. Vrolijk gaf hij alle vier de kinderen een hand.

'Dag majesteit,' mompelde Rosalie. Ze wilde haar vader niet aankijken, maar toen ze zijn hand voelde, keek ze toch op. Zijn ogen twinkelden.

'Dus dat is hip?' vroeg hij. 'Een scheur in je spijkerbroek?'

De andere kinderen hielden hun adem in, maar Rosalie lachte. Papa was niet boos!

'Hipper dan een kroon, majesteit!'

De koning glimlachte, maar Rosalies moeder bleef strak voor zich uit kijken.

'Deze zijn voor u,' zei Lisa zachtjes. Ze gaf de bos bloemen en lachte verlegen.

'Wat prachtig!' riep de koningin. 'Mijn lievelingsbloemen...'

Alexander knikte tevreden. Maar Rosalie zag dat haar moeder toneelspeelde. Voor alle kinderen was ze nu de aardige koningin. Maar eigenlijk was ze alleen maar Rosalies boze en verdrietige moeder.

Ze zuchtte. Ze had haar moeder natuurlijk weer teleurgesteld. Dat deed ze altijd. Of ze nou een varken voerde of een spijkerbroek droeg, er was altijd wel iets mis.

'Wat een prachtige tekeningen,' zei de koning.

Hij stond voor het prikbord. Alexander ging een beetje opzij. Zo konden de fotografen de tekeningen ook zien.

'We hebben allemaal getekend wat we het allerleukst vinden aan onze school,' zei Shivani. Ze drong een beetje naar voren.

'Want weet u dat wel, majesteit? Over drie weken moeten we verhuizen! Naar een gebouw midden in de stad.'

'En daar is geen kastanjeboom, zoals hier.' Alexander wees op een tekening.

De koning bekeek nu alle tekeningen op het prikbord.

Rosalie hield haar adem in. Als de journalisten nu ook maar keken. Dan zagen ze de tekeningen van de bloeiende schooltuin. Van de grote gymzaal met trampoline. En van kinderen die tikkertje deden op het schoolplein.

Maar de journalisten letten alleen maar op de koning en de koningin. Bij elke beweging die Rosalies moeder maakte, flitste er een fototoestel. Zodra haar vader een woord zei, hing er een microfoon boven zijn hoofd.

Rosalie keek bezorgd naar Alexander. Haar plan werkte niet. De journalisten kwamen niet eens op het idee dat de school gered moest worden. Ze begrepen helemaal niet dat er geld moest komen. En het bezoek was al bijna weer voorbij. Er was niet veel tijd meer.

'Tot slot willen we u graag onze schooltuin laten zien, hoogheid, eh... majesteit.' Moniek bloosde.

De juf was zenuwachtiger dan alle kinderen bij elkaar. Tijdens de voorbeeldles rekenen had ze zich ook al steeds versproken.

Rosalie wilde dat ze Moniek kon vertellen dat het gewoon haar ouders waren die hier rondliepen. Op een ouderavond was ze toch ook niet zo zenuwachtig? En straks moest ze nog een toespraak houden ook...

'Wat heerlijk, al dat groen!' De koningin keek de grote schooltuin rond.

'Zijn dat courgetteplanten?' vroeg de koning. 'En wat is dat?'

'Sperziebonen, majesteit,' zei Rosalie enthousiast.

Eindelijk zagen papa en mama haar school. Ze wilde dat ze gewoon met z'n drieën konden rondlopen, zonder al die anderen. Maar dat kon natuurlijk niet. Vandaag ging het niet om de prinses, maar om de school.

'Dames en heren!' zei Moniek. Haar stem trilde. Ze kwam niet boven de journalisten uit.

'Onze juf gaat een toespraak houden,' riep Alexander, maar de cameramensen hoorden hem niet.

'Stilte alstublieft!' Willem ging naast Moniek staan.

'Juf Moniek wil iets zeggen.'

Zijn stem kwam boven iedereen uit. Rosalie knikte opgelucht naar hem.

Het werd stil en tegelijkertijd werd Moniek steeds roder. Rosalie zag dat haar handen trilden.

'Ik eh...,' zei Moniek. 'Wij zijn heel erg eh... blij dat u eh...'

Rosalie schudde haar hoofd. Haar arme juf! Het ging helemaal mis. Ze stotterde en de journalisten begonnen meteen onrustig te fluisteren.

Dit was de laatste kans. De zwarte limousine stond al klaar bij het hek. Rosalie wist dat ze iets moest doen. Ze slikte.

De toespraak van Roos

Ze dacht aan de ochtend dat ze voor haar spiegel had gestaan. In de glanzende jurk, met een diadeem op haar hoofd. Toen voelde ze zich echt een kroonprinses.

Nu had ze een spijkerbroek aan, maar ze was nog steeds hetzelfde meisje. Ze was nog steeds een prinses. Ze schraapte haar keel.

'Uwe majesteiten, dames en heren van de pers, klasgenoten,' zei ze luid.

Ze dacht er niet meer over na. Ze begon gewoon te praten. Ze had niks meer te verliezen. Haar moeder was toch al boos, dus ze moest toch al van school.

'U bent hier op bezoek bij een heel gewone school,' zei ze. Haar stem trilde even, maar ze keek de journalisten recht aan.

'We leren hier worteltrekken en ontleden. We spelen met roze blokken en we houden spreekbeurten over de zon. In de ene klas leren derdegroepers schrijven, terwijl even verderop achtstegroepers repeteren voor hun musical. Maar, dames en heren...' Ze was even stil. 'Dit is ook een heel bijzondere school.'

Ze keek om zich heen, naar alle mensen die naar haar luisterden. Alle camera's waren nu op haar gericht.

In haar hele leven als prinses waren er nog nooit zoveel mensen stil voor haar geweest. En deze mensen wisten niet eens wie ze was! Hier stond Roos van den Berg en toch luisterde iedereen.

'Dit is dus ook een heel bijzondere school. En ik kan het weten, want ik ben hier nog maar drie weken. De deuren staan hier altijd wijd open. We hebben een eigen moestuin en een reusachtig speelplein. Er zit geen graffiti op de banken. En nu moet juist onze school gaan verhuizen! Bij de gemeente hebben ze te weinig geld, en daarom moeten we naar een grijs gebouw midden in het centrum...'

De zon scheen op de jonge boontjes en de radijsjes en opeens voelde ze het pas echt. Ze moesten hier weg! Volgende lente zou ze hier niet meer staan. Ze kon niks meer zeggen.

'We moeten naar een lelijk rotgebouw, terwijl het hier juist zo leuk is.'

Shivani kwam naast Rosalie staan. Ze had tranen in haar ogen. Want dat kon ze.

'Hier kunnen we altijd elastieken en eitje leggen en stand in de mand spelen. En toen ik vroeg of we ook boontjes in de schooltuin mochten, toen kregen we die meteen!'

'Ik zit al bijna zeven jaar op deze school,' zei Alexander. Hij kwam aan de andere kant van Rosalie staan. 'En dit is dus echt een supercoole school!'

'Help ons,' zei Lisa verlegen. De camera's werden meteen op haar gericht. De zilveren hartjes in haar oren blonken in de zon. 'We willen niet verhuizen!'

Rosalie kon nog steeds niks zeggen. Ze lette niet meer op de journalisten. Ze zag de camera's niet meer. Ze keek naar haar vader.

De koning stond heel rechtop. Hij lachte trots naar

haar. Ze keek naar Willem, die tevreden naar haar knikte. Ze keek naar Alexander en Lisa en Shivani, die opgewonden poseerden voor de fotografen en die hun armen om haar heen sloegen.

En ze keek naar de koningin, die tranen in haar ogen had. Ze zag dat haar moeder het nu begreep. Ook in een spijkerbroek was haar dochter een prinses. Een stoere prinses.

De volgende dag stonden in alle kranten foto's van Rosalies school. Foto's van de dikke kastanje en van de tekeningen op het prikbord. Foto's van de koning bij de wortelplanten. En foto's van Shivani met tranen in haar ogen. Er stond ook dat de koning het verschrikkelijk vond dat de school moest verhuizen.

'Zo'n prachtige school mag niet worden opgesloten in beton!' zei hij in de krant.

Iedereen die dat las, begon over Rosalies school te praten. Mensen op straat en op de radio. Op het *Journaal*, en in praatprogramma's.

Elke avond keken Rosalie en Isabel in hun televisiekamer naar het *Jeugdjournaal*. Lola lag met haar kop op Rosalies voeten. En soms kwamen papa en mama ook meekijken.

'De enige school van ons land met een eigen moestuin!' zei een vrouw in het *Jeugdjournaal*. 'En zo'n school moet dan verhuizen.'

'We moeten geld inzamelen,' riep iemand anders. 'Dan hoeven die kinderen niet weg van hun kastanjeboom en hun speelplaats! Heb je dat donkere meisje gezien? Die moest bijna huilen, zo erg vond ze het.'

Rosalie zat heel stil voor de televisie. Ze gingen geld inzamelen! Ze keek opzij naar haar ouders. Haar moeder glimlachte naar haar.

Iedereen in het hele land begon geld te geven. Ze gaven vijf euro en tientjes, maar ook honderd en vijfhonderd euro. Iedereen wilde dat Rosalies school zo gelukkig bleef.

En toen stond er op een regenachtige ochtend opeens een televisiemevrouw in de klas. Ze had allemaal camera's bij zich. En lampen, en microfoons. Het duurde een hele tijd voordat alles klaarstond.

Rosalie zat tussen Alexander en Shivani in. Ze kon bijna niet ademhalen, zo opgewonden was ze. Alexander tikte steeds met zijn vingers op tafel. Shivani draaide aan haar vlecht.

Eindelijk stonden alle lampen klaar. De televisiemevrouw pakte een microfoon.

'Het is ongelooflijk!' riep ze. 'Er is ontzettend veel geld binnengekomen. Zoveel, dat jullie school niet hoeft te verhuizen! Jullie hoeven niet naar het grijze gebouw in het centrum.'

Even bleef het stil. Rosalie voelde haar wangen warm worden. Vanuit haar tenen sjeesde haar bloed naar haar borst. Het was gelukt! Het was echt gelukt. Ze mochten hier blijven.

Toen begon iedereen te gillen. Rosalie deed haar handen voor haar oren en schreeuwde mee. Zo hard als ze kon.

'Wat is hier aan hand?' Een paar meesters en juffen

stonden bezorgd in de deuropening. Maar toen begonnen ze te lachen.

Rosalie ging door met juichen. Net als Alexander en alle andere kinderen. Ze gilden en schreeuwden en stonden op hun tafels. De televisiemevrouw deed gewoon mee met gillen.

En Moniek huilde. Deze keer echt van blijdschap.

Slot

Ze zaten met z'n vieren in de schaduw van de dikke kastanje. De zon had al de hele dag op de stenen van het schoolplein gebrand. Vlak boven de grond trilde de lucht een beetje.

'Het is echt een cool ding,' zei Alexander. Hij keek naar het nieuwe rode klimrek, dat glimmend naast de zandbak stond.

'Volgend jaar zijn we er vast te oud voor.' Shivani likte aan haar waterijsje. 'Dan zijn we achtstegroepers.'

'Voor zo'n klimrek ben je nooit te oud,' zei Rosalie. Ze beet een groot stuk van haar smeltende raket.

'Ik vind het klimrek mooi,' zei Lisa.

'Natuurlijk vind je het mooi!' riep Alexander verontwaardigd. 'Je mocht het zelf uitzoeken met die mevrouw van de televisie!'

Lisa lachte.

Rosalie zuchtte en strekte haar benen uit. Ze had een kort spijkerrokje aan, en geen panty. Ze was nog steeds Roos van den Berg.

Alexander kwam elke week wel een middag op het paleis. En zelf speelde ze heel vaak bij Shivani en haar drie poezen. Eén kwam altijd op Rosalies schoot slapen.

Shivani's jongste broertje had vorige week spaghettisaus in haar krullen gesmeerd. Ze was even boos geweest, maar daarna moest ze alleen maar lachen.

Ze was prinses Rosalie Sophia. Dat zou nooit veranderen. Maar ze begon nu niet meer te schreeuwen als iemand aan haar computer zat. En ze lachte wanneer een jongetje spaghettisaus in haar haar smeerde. Ze was geen heks meer.

Soms, als ze dacht aan later, dan werd ze zelfs een beetje gelukkig. Want als koningin hoefde je niet alleen maar stom mensen voor je te laten buigen. Je kon ook scholen redden. En net zoveel broodjes met chocopasta eten als je maar wilde.

'Het is zo warm...' zei Lisa.
Shivani knikte en geeuwde.
'Wie weet er wat leuks?'
Rosalie aarzelde. Er was iets waar ze al een tijdje over nadacht. Want kon je wel echte vrienden zijn als je een nepnaam had? Als je nooit vertelde over je leven thuis?
'Ik weet wel iets,' zei ze.
Ze hapte het laatste stukje raket van het stokje en keek Lisa en Shivani aan.
'Kunnen jullie een geheim bewaren?'

Het geheim van Anna Woltz & Roos van den Berg

Anna: Roos, mag ik je wat vragen? En dan moet je eerlijk antwoord geven!
Roos: Wat is er dan?
Anna: Heb jij een zusje?
Roos: Ja, die heet Isabel.
Anna: En heb je ook een hond?
Roos: Die heet Lola. Ik heb haar geleerd om een poot te geven.
Anna: En zitten er bij jou dan ook kinderen in de klas die Alexander en Lisa en Shivani heten?
Roos: Ja!
Anna (begint te fluisteren): Zeg eens eerlijk, ben jij dan ook eigenlijk prinses Rosalie Sophia?

Roos (lacht): Ja. Nou ja, in mijn fantasie blijf ik in elk geval altijd een prinses. Maar eigenlijk ben ik in het echt gewoon als Roos een doodnormaal meisje van elf jaar. Toen ik het verhaal bedacht was het wel op mezelf gebaseerd. Het is een droom van elk meisje om prinses te worden, dus waarom zou er dan geen boek over geschreven kunnen worden? Toen ik de Geheimwedstrijd won, voelde ik mezelf nog beter dan een prinses!

Pssst...

Wie heeft de geheim-schrijfwedstrijd gewonnen?
Hoe heet het nieuwste boek?

Met de GEHEIM-nieuwsmail weet jij alles als eerste.

Meld je aan op www.geheimvan.nl

Op de website www.geheimvan.nl kun je:
- meedoen met de schrijfwedstrijd
- schrijftips krijgen van Rindert Kromhout
- alles te weten komen over de GEHEIM-boeken

Kijk ook op www.leesleeuw.nl

Hans Kuyper, Mirjam Oldenhave,
Ruben Prins en Anna Woltz

het geheim van...

Leopold

Lourdes ontdekt dat de nieuwe jongen in de klas een groot geheim heeft. Opgewonden vertelt ze het aan Mo: Hidde heeft magische krachten! Mo gelooft er niets van. Hij ontdekt wel een verdacht geheim van Hidde en meteen weet hij: Olivia is in gevaar! Hij probeert haar te waarschuwen. Of is het al te laat?

Vier schrijvers. Vier hoofdpersonen. Eén doorlopend verhaal.

Anna Woltz
Het geheim van ons vuur

Wat ik je nu ga vertellen is geheim. Alleen Hanna en ik weten ervan. Het gaat over de tijd dat Sjoerd ziek was. Papa en mama deden niks. Nou ja, Sjoerd mocht de laptop van papa lenen en mama braadde een kiprollade. Maar Sjoerd at de kip niet op. Toen wist ik dat Hanna en ik iets moesten doen.

Tess en Hanna laten zich niets wijsmaken. Niet door de dokter in het ziekenhuis. En ook niet door papa en mama. Zij gaan hun zieke broer redden, en daarvoor moeten ze iets heel ergs doen. Iets waar ze eigenlijk niet over durven praten...

Hans Kuyper & Isa de Graaf

Het geheim van kamer 13

Nitie en haar konijn Snuffeltje voelen zich niet thuis in het oude, krakkemikkige hotel met de wc op de gang.
'Authentiek!' roept papa steeds. Maar Nitie noemt dat gewoon kapot, of vies.
Als ze 's nachts moet plassen, ontdekt ze iets engs.
Tussen kamer 12 en kamer 14 zit een deur die er overdag niet is.
Er komt treurige muziek vandaan. Tot haar schrik ontdekt Nitie achter het luikje een oog, dat haar verdrietig aankijkt. Heeft dat iets te maken met dat griezelige portretje in de hal?

Isa de Graaf is de winnares van de GEHEIM-schrijfwedstrijd 2005.